Aftellen!

Tais Teng

afgeschreven

thriller

Toegekend door Cito i.s.m. KPC Groep

1e druk 2011

NUR 286
ISBN 978.90.487.0821.5

© Uitgeverij Zwijsen B.V., Tilburg, 2011
Tekst: Tais Teng
Illustraties: Camila Fialkowski
Vormgeving: Rob Galema

Voor België:
Uitgeverij Zwijsen.be, Antwerpen
D/2011/1919/58

Inhoud

1. Ze mogen ons niet zien!

'Kijk ook eens, Ron.'
Vera wenkt hem dringend.
Ze staat voor het raam van haar kamer.
Rons zus tuurt omlaag naar de straat.
'Wat is er voor spannends te zien?' vraagt Ron.
'Het is onze nieuwe buurvrouw.'
Vera stapt dichter naar het raam.
'Ze komt elke dag in een andere auto thuis.
Of nee, dit is dezelfde als vanochtend.
Alleen zit er nu een andere nummerplaat op.'
Ze schudt haar hoofd.
'Dat is nog verdachter dan steeds een andere
auto.'
'Ze is heus geen spion of zo,' lacht Ron.
'Doe niet zo maf.
Ze verkoopt gewoon auto's, tweedehands auto's.'
'Stil!' sist Vera, 'ze stapt uit.'
Wat een onzin, denkt Ron.
Door het glas kan de buurvrouw hen vast niet
horen.
'Ja, ik had gelijk,' zegt Vera.
'Ze heeft weer blonde krullen.
Gisteren had ze nog steil haar, steil bruin haar.
En woensdag was het rood.'
'Dan draagt ze een pruik,' zegt Ron.
'Ze is gewoon ijdel en verder niks.'
Toch kijkt Ron nu over de schouder van zijn zus
mee.

8

De buurvrouw heeft krullen, nou en?
Waar meisjes zich al niet druk over maken.
Mooie wagen trouwens.
Echt zo'n racekar.
De vorige dag stond er een piepkleine auto voor
het huis.
Toch wel een beetje raar.
Zelfs verkopers rijden ook niet elke dag in een
andere wagen rond.
Zodra haar voordeur dichtvalt, suist een tweede
auto om de hoek.
Hij stopt met gierende remmen.
De deuren knallen open en twee mannen
sprinten over het tuinpad.
De voorste rammelt aan de deurknop, schudt
dan zijn hoofd.
Hij tikt het slot aan met iets glimmends.
Ron ziet een blauwe vonk.
Hij trapt en de deur zwaait open.
'Ze trapten de deur gewoon open!' zegt Vera.
'Ze probeerden niet eens aan te bellen.'

Uit het huis klinkt een schreeuw.
Een seconde later begint een alarm te loeien.
Ron is dol op vechtfilms.
In het echt is het toch een stuk minder leuk.
Hij staat verstijfd van angst en hapt naar adem.
Straks komen ze terug, denkt hij.
En dan zien ze ons voor het raam staan.
In films ruimen ze getuigen altijd uit de weg.
'Omlaag, idioot!' roept zijn zus.

Ze grijpt hem bij de schouders, drukt hem tegen de vloer.

'Ze mogen ons niet zien!'

Het is net alsof Vera zijn gedachten kan lezen.

Alleen kan Vera zich nog wel bewegen.

2. Ze schoten haar dood!

Een keiharde knal klinkt.
Zo hard dat de ruiten meetrillen.
'Ze schoten,' fluistert zijn zus.
'Ze schoten haar dood.
Morsdood.'
'Nee, nee!' jammert Ron, 'het was een rotje, een knallende uitlaat. Geen pistool.'
'Ze schoten,' herhaalt zijn zus.
Ze klinkt bijna blij.
Eindelijk gebeurt er iets.
Vera is het soort meisje dat in elke boom klimt.
Daarna hangt ze op haar kop aan de hoogste tak.
Vera zou zelfs een tijger aaien, gewoon voor de lol.
Ze druk zich op en gluurt tussen de planten door.
'Daar heb je ze weer.'
'Dat doen we met verraders!' roept iemand met een schelle stem.
Die stem is te hoog voor een man.
Een van de inbrekers moet een vrouw zijn.
Het alarm loeit nog steeds, merkt Ron.
Daarom durfden ze natuurlijk niet te blijven.
Ron hoort de wagen brullend starten.
Als hij opstaat, verdwijnt de bumper net om de bocht.
'We moeten haar helpen,' zegt Vera.
'Misschien leeft ze toch nog?'

'De politie,' zegt Ron.

'We moeten 112 bellen!'

Vera snuift en kijkt hem dan meewarig aan.

'De politie komt altijd een half uur te laat.'

Vera heeft gelijk.

Hij heeft genoeg misdaadseries gezien om dat te weten.

Als er een gek met een kettingzaag achter je aanzit, helpt bellen weinig.

Vera grijpt zijn hand vast.

'Kom mee.'

Ze rennen de trap af.

3. Ze zitten overal, zelfs bij de politie

De buurvrouw ligt in het halletje.
Ze ligt midden in een grote plas bloed.
Ik wist niet dat bloed zo rood was, gaat het door
Ron heen.
Of dat er zoveel in een lijf zat.
Zijn maag draait en hij kokhalst.
De ogen van de vrouw springen open en ze
kreunt.
Rons hart stopt bijna van schrik.
Zo gaat het in een game altijd met vampiers.
Je denkt dat ze dood zijn, maar in het lijkenhuis
schuiven hun ogen ineens open ...
'Staar me niet zo aan,' zegt de vrouw.
'Ik ben echt geen zombie.'
'Maar al dat bloed?' fluistert Vera.
'Dat is nep.
Ze sloegen me op mijn hoofd.
En daarna schoten ze mij door mijn hart.'
De vrouw grinnikt.
'Dat dachten ze tenminste.'
'Je droeg een kogelvrij vest!' roept Ron.
'Klopt.'
Ze gebaart naar het bloed op de vloer.
'Nepbloed, zoals in een film.
Het spuit uit mijn vest zodra ik geraakt wordt.'
Ze wankelt naar de muur, tikt een code in.
Het alarm valt stil.
'Je bent van de geheime dienst,' zegt Vera.

14

'De CIA, en dat waren terroristen.'
'In ons land heten we de AIVD, maar de rest klopt.'
Ze pakt een mobieltje op dat uit haar zak gevallen moet zijn.
Het is groter dan normaal, met een knop in het midden.
Op het scherm verspringen cijfers.
Ron heeft genoeg games gespeeld om een tijdklok te herkennen.
Het toestel telt af en niks kan het stoppen.
Zodra hij op de nul komt, ontploft alles.
'Dit zochten ze,' zegt de vrouw.
'Hun zender of liever een van hun zenders.
Probeer hem vooral niet uit te zetten.
Dan gaat hun wapen meteen af en dat overleeft niemand.'
'De politie?' zegt Vera.
Haar stem trilt.
'Nee, daar hebben ze mensen zitten.
Ze zijn schatrijk en hebben overal mensen.
Zelfs in mijn eigen AIVD.
Het is al bijna te laat.'
Ze knikt naar het toestel.
'We hebben minder dan één dag.'
'Wat is het voor wapen?' vraagt Ron.
'Een kernbom?'
'Wisten we het maar.
Zij geloven in ieder geval dat het dodelijk is.
Dat niemand het overleeft.
Zij ook niet, maar dat vinden ze niet erg.'

'Wat bedoel je?' zegt Ron.

'Het zijn martelaars.

Ze willen juist dolgraag sterven voor hun geloof.

Voor een betere wereld.'

'Net als toen in Amerika?' vraagt Vera.

'Toen met die vliegtuigen tegen de torenflats?'

'Deze zijn erger, veel erger.

Ze geloven dat wij de Aarde vernielen.

Dat alle dieren door onze schuld uitsterven.

We zijn met te veel mensen, zeggen ze.

Daar willen ze wat aan doen.'

Ze grijpt naar haar hoofd en kreunt.

'Ze raakten me toch harder dan ik dacht.'

Ze geeft Vera het zendertje.

'Geef dit aan Landberg. Hij ...'

Ze begint vreselijk te hoesten.

'Ik luisterde ze af en vond de plaats van hun bom.

Het is vlakbij, hier in de stad.

Bel Landberg, zijn nummer is ...'

Ze wankelt en haar ogen draaien omhoog.

Ze valt zo hard terug in de plas bloed dat de druppels in het rond spatten.

'Is ze dood?' vraagt Ron angstig.

'Welnee, ze viel gewoon flauw,' zegt Vera.

Ze pakt haar mobieltje.

'Geen politie dus. Ik bel 112.'

Ron hoort de bel gaan in de doodse stilte.

'U spreekt met 112.'

'Met mij!' roept Vera.

'Ik bedoel, het is mijn tante ...'

'Blijf vooral kalm.

Vertel rustig wat er aan de hand is.'

'Jullie moeten hulp sturen!

Mijn tante, ze viel van de trap.'

Ze noemt het adres.

'We zijn er binnen tien minuten,' zegt de vrouw van 112.

'Laat haar gewoon liggen.

Je mag haar beslist niet verslepen.'

'We raken haar met geen vinger aan.'

Vera bergt haar mobieltje op.

'Binnen tien minuten, zeiden ze.

Nou, dat wordt doorwerken, broertje.

Trek haar kogelvrije vest uit en prop het in de vuilnisbak.'

Ze kijkt om zich heen.

'We moeten al dat bloed opdweilen.'

'Maar waarom dan?'

'Geen politie, zei ze, geen geheime dienst.

Het moet een ongeluk lijken, geen overval.'

'Ik snap het, maar waarom zei je dat ze onze tante is?'

'Omdat ze dan familie is, oen!

In een ziekenwagen mag alleen familie meerijden.'

'Och, natuurlijk.'

Vera is beslist slimmer dan ik, denkt Ron.

Dat had ik nooit zelf kunnen bedenken.

Nog in geen honderd jaar.

Al helpt het natuurlijk dat ze drie jaar ouder is.

Bovendien is ze dol op misdaadseries.

4. Ik heb niet zulk best nieuws

Ron knijpt net de laatste dweil met nepbloed in
de wc-pot uit als hij de sirene hoort.
Dat moet de ziekenwagen zijn.
Ze hadden geen minuut eerder moeten komen.
Het blauwe zwaailicht flakkert door de hal.
Al het bloed is weg.
Ja, het had best een ongeluk kunnen zijn.
Het is net alsof ik midden in een game zit, denkt
Ron.
Een computergame en ik moet het uitspelen.
Als ik een fout maak, gaan we dood.
Alleen is dit echt.
Als je sterft, krijg je geen nieuwe levens.
Je mag niet opnieuw beginnen.
Zijn maag voelt raar leeg en draaierig.
Ik ben helemaal niet geschikt om een held te
zijn.
Zouden alle mensen in een game zich eigenlijk
ook zo voelen?
Zelfs als je een elf met een betoverd zwaard bent?

Een broeder stapt het halletje in.
'Ah, daar is onze gewonde.
Prima, jullie hebben haar niet versleept.'
Het is een forse kerel, met een diepe basstem.
Hij klinkt een beetje als een enorme teddybeer,
denkt Ron.
Zo zwaar en gonzend.

Hij voelt zich meteen rustiger.

Laat het maar aan mij over, straalt de man uit.

Ik weet precies wat ik moet doen.

De broeder knielt naast de vrouw en voelt haar pols.

'Haar hart doet het nog prima, lui.

Jullie tante ademt ook regelmatig.'

'Ze viel van de trap,' liegt Vera.

'We laden jullie tante in de wagen.

Geen paniek, alles komt goed.'

Vera zet haar handen in haar zij.

'We moeten meerijden.

We zijn familie.'

'Dat kan natuurlijk,' zegt de man.

'Maar blijf van alle slangetjes af.'

In het ziekenhuis verdwijnen de broeders door een klapdeur.

'Jullie kunnen hier wachten,' zegt de vrouw achter de balie.

Ze pakt een schrijfblok.

'Ik zou graag de naam van jullie tante hebben.

Plus haar adres.'

'Um ... eh ... ja,' stottert Vera, 'de naam van onze tante dus.'

Dit gaat mis, denkt Ron.

Ze heeft zoveel achter elkaar moeten liegen.

Al Vera's leugens zijn op.

Het is nu mijn beurt.

'We noemden haar altijd tante Ans,' zegt hij.

'Al vanaf dat we kleuters waren.

Alleen heet ze eigenlijk anders, denk ik.'
'Ze is ook geen echte tante,' zegt Vera.
'Geen familie, bedoel ik.
Een aangewaaide tante.'
'Tante Ans is de beste vriendin van mijn moeder,'
zegt Ron.
Liegen is best makkelijk zodra je eenmaal op
gang bent.
'Daarom weten we haar achternaam ook niet,'
vult Vera aan.
De vrouw zucht.
'Geef het adres maar.
Dan zoeken wij het verder wel uit.'

'Wat doen we nu?' vraagt Ron als de vrouw
wegloopt.
'We wachten tot ze ons vertellen hoe het met
haar gaat.
Wat moeten we anders?'
Ze geeft een ruk met haar hoofd.
'Ik moet even, eh, naar de wc.
Papa en mama bellen.'
Ze spreekt zo luid dat de vrouw achter de
toonbank het wel moet horen.
Ze buigt zich naar Rons oor.
'Die Landberg bellen,' fluistert Vera, 'waar ze het
over had.'
Ron snapt waarom ze fluistert.
Ze zijn overal, had de vrouw gewaarschuwd.
Bij de politie, bij de geheime dienst.
Waarom dan niet in het ziekenhuis?

Pas tien minuten later slentert Vera terug.
'Er zijn negen Landbergs in de stad.
Vier namen niet op.
De rest dacht dat ik ze in de maling nam.
Ze zijn in ieder geval niet van de geheime dienst.'

Ten slotte komt de broeder weer door de
klapdeur.
'Ik heb niet zulk best nieuws, sorry.
Jullie tante is in coma geraakt.'
'Wat is in coma?' vraagt Ron.
'Ze slaapt eigenlijk gewoon.
Alleen zo diep dat ze voorlopig niet wakker
wordt.'
Het is dus helemaal mis, denkt Ron.
Volwassenen zijn ook zulke beroerde leugenaars.
Ze is bewusteloos en niemand weet of ze ooit
nog ontwaakt.
'Ik zal het tegen mijn ouders zeggen,' belooft
Vera.
Ze trekt aan Rons arm.
'Ron en ik, we moeten nu naar huis.'
'Weten je ouders van je tante?' vraagt de vrouw.
Vera houdt haar mobieltje omhoog.
'Ik belde ze allebei, maar niemand nam op.'

Buiten kijkt Vera om zich heen.
'We boffen, want daar komt bus 34 net aan.
Die stopt vlak bij ons huis.'
'Gaan we naar huis?' vraagt Ron.
'Naar haar huis, niet dat van ons.

Misschien vinden we daar het adres van die stomme Landberg.'

5. De stem van de terrorist

Op de achterbank vist ze het zendertje uit haar jaszak.
De rode cijfers gloeien op, verspringen dan.
Ron sist van schrik.
'Hij staat al op 6 uur 14!
We hebben meer dan twee uur in het ziekenhuis gewacht.'
'En dat rotding tikte door,' zegt Vera.
'Dat is balen.'
Over zes uur vergaat de wereld, denkt Ron.
Dat is heel wat erger dan balen.

De huisdeur staat nog op een kier.
Ron ziet nu pas dat het slot tot een klodder ijzer gesmolten is.
Dat was natuurlijk die blauwe vonk.
Een laser denkt hij, of net zo'n lichtzwaard als in Starwars.
Ze zijn schatrijk had de vrouw gezegd.
Als je miljoenen hebt, kun je de beste wapens kopen.

Vera beent door het halletje en stopt voor de kapstok.
'Mooi zo,' zegt ze, 'haar jack hangt er nog.'
Ze voelt in de zakken.
'In één keer raak,' zegt ze.
'Wat heb je gevonden?'

'Haar paspoort.'

Ze slaat het wijnrode boekje open.

'Ze heet dus Arlies Donkers en haar echte haar is rood.

Krijg nou wat: achterin zit een heel andere ID.'

Ze houdt het kaartje op.

'Steil haar en het is bruin.

Hier is haar naam trouwens Evelien de Groen.'

'Ze heeft er vast nog meer,' zegt Ron.

'Ik wed dat ze voor elke pruik een ander paspoort heeft.

En misschien ook een rijbewijs voor elke auto.'

'Daar kon je wel eens gelijk in hebben.'

Vera strijkt langs de voering van de jas, knijpt in de naden.

'Hebbes, er zit iets in de voering.'

Ze bekijkt haar nieuwe vondst.

'Zo te zien is het een MP3-speler.

Wat moet ze daar nu mee?

Naar de top tien luisteren terwijl ze schurken begluurt?'

'Je kunt er ook mee opnemen,' zegt Ron.

'Met die van mij in ieder geval wel.'

Hij vertelt er maar niet bij wat Harrie en hij opnamen.

Meisjes snappen niets van een wedstrijd wie het luidst kan boeren.

'Je bent een genie!

Ze zei dat ze op een geheime bijeenkomst was.

Wedden dat ze die opnam?'

Het schermpje toont tien MP3's.

Vera klikt de eerste MP3 aan.

Geef wachtwoord, beveelt het schermpje.

'Ze zijn beveiligd,' zegt Vera, 'en niet zo'n beetje ook.

Er is wel plaats voor twaalf cijfers.

Ik had het kunnen weten.

Achter alle files staat een sleuteltje.

Zo'n sleutel betekent dat het beveiligd is.'

'Ze is van de geheime dienst,' zucht Ron.

'Die lui hebben vast het beste wachtwoord van de wereld.

Geen schijn van kans dat we dat ooit raden.'

'Ja, ze typen vast geen "1234", zoals mama.'

'Probeer een andere opname,' stelt Ron voor.

'Ik krijg weer "geef wachtwoord".

Of nee, nu knippert er eentje onderaan.

Er staat geen sleutel bij!

Ze heeft de laatste MP3 nog niet beveiligd!'

Vera steekt hem een van de oortjes toe.

'Hopelijk zeggen ze waar ze hun bom verstopt hebben.'

Eerst hoort Ron alleen geruis, vage stemmen.

Dan komt er een stem helder door.

'Het zal straks zo heerlijk stil zijn,' zegt een terrorist.

'Alleen het gezang van de vogels en nergens meer mensen.'

Mensen klappen, joelen.

De opname stopt.

Het zijn niet meer dan twee zinnen.
Toch breekt Ron het angstzweet uit.
De man klonk zo blij, zo tevreden.
Nergens meer mensen.
Alsof dat het mooiste is wat hij zich kan
voorstellen.
Ze klapten en lachten.
Wat zijn dit voor gekken?

'Wat doen jullie hier?' klinkt een lijzige stem
vanuit de deuropening.
'Oh hoh, jullie braken in!'

6. Kun je dit autoslot even voor me kraken?

Ron ontspant zich, zodra hij ziet wie het is.
Het is Geert maar, Geert de Graaier.
Geert is zo'n beetje de buurtjunk.
Hij doet geen vlieg kwaad maar hij jat alles wat los- en vastzit.
Vergeet je fietsslot en een minuut later is je fiets foetsie.
Dat geldt ook voor iedere radio die je in je auto laat zitten.
Geert krijgt elk slot binnen een paar tellen open.
Als hij lui is, of erg stoned, dan slaat hij domweg het raampje in.
'Ha, die Geert,' zegt Vera, 'hadden ze je cel voor iemand anders nodig?'
Ron is een beetje bang voor Geert.
Per slot van rekening is hij een crimineel.
Vera vindt rare lui juist interessant.
Ron ziet ze soms samen op het tuinhekje zitten.
Ze zijn dan druk in gesprek en gebaren met hun handen.
Hij heeft geen idee waar ze zo opgewonden over praten.
Misschien hoe je het beste een brandkast kunt kraken?
Of wat het beste merk breekijzer is?
'Ja, Vera,' zucht Geert, 'ze lieten me vrij.'
Hij neemt zo'n diepe trek van zijn joint dat de

rook uit zijn neusgaten spuit.

'De rechter, ze zei dat ze het zat is.

Dat ik een draaideurcrimineel ben, een vuile veelpleger.

Als ze me weer ziet, ga ik voor jaren de cel in.

"We timmeren de deur van je cel dicht," zei ze.

Potdicht, en we gooien de sleutel weg.'

Hij tikt tegen het gesmolten slot.

'Dat mag ik niet meer, inbreken.'

Hij steekt een vinger op en knikt ernstig.

'Pas maar op, straks zitten jullie ook in de cel.'

'Wij hebben niks gedaan,' zegt Ron.

'Dat waren anderen.'

Geert kijkt begerig het halletje rond.

'Als de deur al openstaat, is het toch geen inbreken?'

'Wel als je iets meeneemt, Geert,' zegt Vera.

'Misschien kun je beter weggaan voor je in de verleiding komt.'

'Als de deur openstaat, is het geen inbreken,' moppert Geert.

Maar hij draait zich toch gehoorzaam om en loopt het tuinpad af.

Mensen luisteren vaak naar Vera, heeft Ron ontdekt.

Bijna alsof ze een schooljuf is of een agent.

'Wacht even, Geert!' roept Vera ineens en snelt hem achterna.

'Jij weet toch alles van sloten?

Je bent een super vakman, een professor in de sloten.'

Geert giert het uit.

'Geert, de professor!

Maar je hebt gelijk, ik ben een professor in de sloten.'

Vera loopt naar de auto van de vrouw toe.

'Kun je dit slot openmaken, Geert?'

'Het is een makkie, maar ik mag het niet meer.

Dat vertelde ik toch, Vera?'

'Je hoeft het ook niet zelf te doen.

Vertel me gewoon hoe het moet.'

'Wil je ook een veelpleger worden?'

'Nou nee, gewoon voor de gein.'

Geert tuurt door het raampje.

'Het is amper de moeite waard, Vera.

Er zit niet eens radio in.

Alleen een Tomtom en die zijn tegenwoordig veel te goedkoop.

Joeri geeft je er hoogstens tien euro voor.'

'Hoe doe je het slot nu open?' dringt Vera aan.

Geert vist een ijzeren plaatje uit de zak van zijn jas.

Het is niet groter dan een pinpas.

'Je ritst dit omhoog door de kier naast de deur.

Wacht, ik doe het even voor.'

Hij buigt zich, haalt het plaatje omhoog.

Ron hoort een doffe klik.

'Is het echt zo eenvoudig?' vraagt Vera.

'Probeer het slot maar.

Dit was een goedkoop slot en het kan nog geen kleuter tegenhouden.'

Het portier zwaait bij Vera's eerste ruk open.

'Soms heb je een baksteen nodig, Vera.
Dan moet je het hele slot naar binnen slaan voor het lipje afbreekt.'
'Ik zal het onthouden.'
Ze kruipt over de stoel en trekt de Tomtom met een plop los van het raam.
'Je krijgt er heus maar een tientje voor,' waarschuwt Geert.
'Of wacht, nu vergeet ik de beste manier.'
Hij haalt een soort balpen uit zijn binnenzak.
'Dit is een glaspen, met een diamantje als punt.
Je krast een cirkel in het glas en geeft een tikje.
Dan valt het glas zo op de stoel van de auto.
Veel stiller dan een baksteen en niemand hoort het.'
Hij geeft haar de glaspen.
'Neem jij hem maar.
Dan kom ik niet in de verleiding.'
Geert slentert weg in een wolk van blauwe rook.

Ron staart naar de Tomtom in de handen van zijn zus.
Hij voelt een steek van pure paniek.
Vera doet soms rare dingen, maar nooit slechte dingen.
Nooit misdadige dingen.
'Waarom pikte je dat ding in vredesnaam?
Als ze je pakken, gooien ze je de school uit.
Niemand wil meer met je praten!'
'Het is voor een goed doel.
Ze volgden haar, weet je nog?

Ik denk dat ze van die geheime bijeenkomst kwam.

Wedden dat die bom daar ook ligt?

Zo veel geheime huizen zullen ze ook niet hebben.'

Ze zet de Tomtom aan.

'Nu kijk ik naar *laatste bestemming*.

Ah, prima, Eifelstraat 56.

De andere kant van de stad, maar daar weet ik wel wat op.'

Ze werpt een blik op de tijdklok.

'Nog maar vijf uur: dat houdt ook niet over.'

Ze geeft een ruk met haar hoofd.

'Tempo, broertje, we gaan de wereld redden.'

7. Racen naar de bom

Vera belt bij de buren aan.
Het buurmeisje doet open.
'Ik heb je scooter nodig, Jantien,' zegt Vera.
'Het is echt heel dringend, een noodgeval.'
'Je hebt toch wel een rijbewijs?' zegt Jantien.
'Ik dacht dat je pas vijftien was?
Je zit een klas onder mij.'
'Natuurlijk heb ik een rijbewijs!
Op de basisschool bleef ik gewoon een jaar
zitten.'
Als Geert een professor in de sloten is, dan is
Vera dat beslist in het liegen.
Vera sloeg juist een klas over.
Ze is geen vijftien maar net veertien.
'Ik haal de sleutel wel,' zegt Jantien.
Soms sputteren mensen even tegen, maar ze doen
ten slotte altijd wat Vera vraagt.
Later wordt ze beslist een generaal, denkt Ron.
Of misschien de president van Amerika.
Of nee, Vera neemt alleen genoegen met
president van de wereld.

Ze suizen door de straten en de wind loeit in
Rons oren.
Hij draagt geen helm en dat voelt zeldzaam
onveilig.
Vooral omdat Vera zo idioot hard gaat.
'Heb je eerder op een scooter gereden?' roept hij.

35

'Dit is de eerste keer!' roept Vera terug.
'Het is wel een beetje stom dat hij maar zestig kan.
Ik dacht dat Jantien haar scooter opgevoerd had.'
Ze draait aan het gas en de motor schiet vooruit.
'Stomme trut!' gilt Ron, 'ik viel er bijna af!'
'Hou je dan ook beter vast, okkeloen.'
Ze neemt de bocht zo schuin dat ze vlak over het asfalt scheren.

'Hoe moet ik nu rijden?' roept Vera over haar schouder.
'Jij zou op de Tomtom kijken.'
'Alsof dat zo eenvoudig is!'
Ze razen net door een straat met ronde keien.
De Tomtom schudt zo hard dat het scherm wazig lijkt.
'Derde straat rechts, geloof ik.
Nee, nee, de vierde, bedoel ik.'
Iets trilt in zijn zak, rinkelt dan.
Mijn moeder, denkt hij, om te vragen waar we blijven.
Het eten staat vast al klaar.
Hij kijkt op het schermpje.
THUIS staat er met grote blokletters.
'Mijn mobieltje gaat!' roept hij naar Vera.
'Het is mama.'
'Vooral niet opnemen!'
Het mobieltje stopt.
Twee straten verder trilt het mobieltje opnieuw.
Waar zijn jullie?, leest hij. *Bel me terug.*

36

Ze heeft dat bericht vast naar hen allebei gestuurd.
Hij wou dat hij zijn moeder alles kon vertellen.
Dat de grote mensen het verder oplosten.

Een wagen passeert hen, remt dan abrupt af.
Op het dak licht een bord met STOP - POLITIE op.
'Getver, politie,' zegt Vera.
'Net waar we op zaten te wachten.'
Ze stopt naast het raampje en klapt haar helm open.
'Je broertje draagt geen helm,' zegt de agent.
'Laat je papieren eens zien, dame.'
Als een agent 'dame' zegt is het goed mis, weet Ron.
Dat is bijna net zo erg als: 'En waarom reden wij door het rode licht?'
'Mijn rijbewijs ligt thuis,' zegt Vera.
'Het is een noodgeval, weet u.
Mijn oma belde net dat ze van de trap is gevallen.
Ze is zo eigenwijs, meneer!
Ze vertrouwt geen enkele dokter.
Ik zei nog: Bel het ziekenhuis toch.
Maar ze wilde niet, meneer.
Je hoeft me alleen overeind te helpen, kindje, zei ze.'
Vera barst in tranen uit.
Meisjes kunnen huilen wanneer ze maar willen.
Soms is dat erg handig.

'Mijn ouders zijn nog op hun werk,' jammert ze, 'en ze nemen niet op!'

'Niet huilen, meisje,' zegt de agent.

'Waar woont je oma precies?'

'In de Eifelstraat,' snuft Vera, 'Eifelstraat nummer 56.'

'Zet de sirene aan, Achmed,' zegt de agent tegen zijn maat.

'Wij rijden voor deze dame uit.'

Dit is toch idioot? denkt Ron.

Waarom geloven ze Vera toch altijd?

Als ik zoiets beweer, lachen ze me in mijn gezicht uit.

En ineens snapt Ron hoe de wereld in elkaar zit.

Vera is als de heldin uit een actiefilm.

Vera is een Lara Croft, een Buffy de Vampierdoder.

Vrouwen als Vera sporen schatten op in tempels vol zombies.

Ze redden de wereld minstens één keer per week.

Ron hoort eerder in een komedie thuis.

Hij is het broertje om wie je zo leuk kunt lachen.

Alles klopt, en het rare is dat hij het niet erg vindt.

Grappig broertje is genoeg.

Alle heldinnen hebben een grappig broertje nodig.

8. De tuin met de doornhaag

De wagen stopt en het raampje zakt omlaag.
'Hier moet het zijn,' zegt de agent.
'Heb je onze hulp verder nog nodig?'
'Nee hoor, ik loop gewoon naar achter.
Oma, eh, oma Ans doet de tuindeur nooit op slot.'
'Weet je zeker dat er geen arts nodig is?'
'Oma stelt zich altijd zo aan.
Ze kon ons toch nog bellen?'
'Nou, sterkte dan, meid,' zegt de agent.
Hij steekt zijn duim op en de wagen rijdt weg.

Een doornhaag omgeeft het huis.
De heg is zeker twee meter hoog en zit vol witte rozen.
Een doornhaag is bijna even goed als prikkeldraad, denkt Ron.
Slim van die lui.
Met al die witte rozen vergeet je hoe lang en gemeen die doorns zijn.
Op het tuinhek zit een bordje met *Streng verboden toegang*.
Uit de bovenrand steken stalen punten.
Hoge spanning, waarschuwt een tweede bordje, *levensgevaar*.
'Over het hek kun je wel schudden,' zegt hij.
'Alles staat onder stroom.'
'Dat is pure bluf,' zegt Vera.

'Je mag je hek niet onder stroom zetten.
Kijk of je een andere ingang vindt, wil je?'
Ron loopt de heg langs.
'Hier heb je een oprit,' roept hij.
Voor de garage staat een jeep.
'Kunnen we erdoor?' vraagt Vera.
'Nee, hierlangs lukt ook niet.
Die schuifdeur zit potdicht.
De haag is even hoog en doornig.'

Hij hoort hoe Vera aan het hek rammelt.
'Ze hebben een joekel van een hangslot.
Gloednieuw ook nog en zo mooi glimmend.'
Vera zegt het een beetje spottend.
'Oei, oei, daar komt echt helemaal niemand
langs.'
'Hoe pakken we dat aan?' vraagt Ron.
'Laat dat maar aan je grote zus over.
Leuk, inbreken voor een goed doel.'
Vera vist twee platte staafjes metaal uit haar zak.
'Hoe groter het slot, hoe makkelijker.'
Ze steekt de staafjes in het slot en wrikt.
Bij de derde poging hoort Ron een klik.
Het slot klettert op de grond.
'Van Geert geleerd,' zegt ze met een zekere trots.
Ze duwt het hek open en stapt de tuin in.
Daar praatten ze dus over op het hekje, denkt
Ron.
Eigenlijk is hij best een beetje jaloers.
Vera raapt het slot op en klikt het dicht.
'Je hoort je sporen altijd uit te wissen.'

'Maar als we nu weer naar buiten moeten?'
'Dan maak ik het slot toch gewoon weer open?
Doe niet zo zenuwachtig.'

Tussen de struiken hangen snoeren met pinda's.
In de enige boom ontdekt Ron een dozijn
vogelhuisjes.
Ja, dit moet hun huis zijn, denkt Ron.
Ze zijn dol op vogels en haten mensen.
Dat zie je aan de pinda's en dat punthek.
'Achterom was geen slecht idee,' zegt Vera.
'Al verwacht ik geen open keukendeur.
Gelukkig hebben we Geerts glaspen nog.
Dat is even goed als een sleutel.'
'Weet je zeker dat er niemand thuis is?' vraagt
Ron.
'Er stond een auto voor de garage.'
'Welke garage?'
'De garage net voorbij de heg.
Het was een bruine jeep.'
Hij voelt een steek van angst.
Net zo'n wagen als bij de lui die de deur
intrapten.
'Vera, ze zijn hier nog binnen!'
Een deur slaat en hij hoort voetstappen.
Ron kijkt wild om zich heen.
Het hek zit dicht en ze kunnen zich nergens
verstoppen.
'Hé!' roept een schrille stem.
'Wat moet dat daar?'

9. 0 uur 51 minuten

Vera rent meteen naar de struiken en hurkt.
'Wat moet dat daar?' herhaalt de vrouw.
Ron heeft haar gezicht de eerste keer niet gezien.
Haar stem herkent hij echter zonder moeite.
Het is de stem van iemand die altijd nijdig is.
Vera komt overeind.
'We zochten onze voetbal alleen maar, mevrouw.
Mijn domme broertje schopte hem over de heg.'
'Hoe komen jullie hier binnen?'
'Het hek stond open, mevrouw.'
Wat klinkt Vera beleefd, gaat het door Ron heen.
Ja, mensen geloven je leugens eerder als je beleefd
blijft.
Dat moet ik onthouden.
De man loopt door naar het hek, rammelt eraan.
'Het hangslot zit anders stevig dicht, jongedame.'
'Eh,' zegt Vera en ze kijkt Ron hulpeloos aan.
'We kropen onder de heg door, mevrouw,' zegt
Ron.
'Naast de garage zit een gat.'
'Het maakt niks meer uit, Leda,' zegt de man.
'Zolang ze maar oprotten.
We zijn hier toch klaar.
De hele zaak staat op scherp.'
Hij opent het hangslot en wappert met zijn
hand.
'De tuin uit, jullie, en laat ik je hier nooit meer
zien.'

'En onze bal dan?' protesteert Vera.
'Opzouten!' krijst de vrouw, 'nu meteen!'
'Ik ga al,' moppert Vera, 'ik ga al.'

Ron heeft verdraaid scherpe oren.
Hij hoort ieder woord als de man en de vrouw
naar hun auto lopen.
'Weet je zeker dat het goed met ze gaat?' vraagt
de vrouw.
'De vogels leken mij een beetje stil.'
De man klakt met zijn tong.
'Het is net als met muggen.
Die worden er zelf ook nooit ziek van.'
Raar geklets over vogels, denkt Ron.
De jeep start en scheurt de oprit uit.
'Ze hebben haast,' zegt Vera.
'Nog maar vijf uur voor hun bom afgaat.'
Ze steekt de staafjes in het slot.
'Hopelijk lukt het mij de tweede keer ook.'
Deze keer laat Vera het hangslot open.
'We weten in ieder geval dat er niemand meer
thuis is,' zegt ze.

'Nu zien we of Geerts glaspen werkt.'
Ze staan voor de keukendeur.
Vera voelt in haar jaszak en sist van ergernis.
'Dat stomme ding zit in de voering gehaakt.'
Een luide piep klinkt uit haar zak en ze rukt haar
hand terug.
'O, nee toch ...' fluistert Vera.
Ze trekt het zendertje uit haar zak.

Heel voorzichtig, alsof het zendertje zelf een bom is.

'Wat is er?' vraagt Ron.

Op het scherm verspringen de cijfers.

Ze tellen zo snel terug dat ze wazig worden.

Ze stoppen pas als ze op 0 uur 51 staan.

'Het is niet eerlijk!' jammert Vera.

'Ik raakte hem amper aan!

Ik weet zeker dat ik de knop niet indrukte!'

'Het is jouw schuld niet!' zegt Ron.

Dat is onzin natuurlijk.

Vera heeft de knop zelf ingedrukt, ook al was het per ongeluk.

Ik moet Vera kalm krijgen, denkt hij.

Als ze in paniek raakt, is alles voorbij.

Ron weet precies hoe het zal gaan.

Hij heeft het al zo vaak op de tv gezien.

Binnen vinden ze straks een bom met een tweede tijdklok.

Een tijdklok met een rood en een blauw draadje naar de bom.

Als je het verkeerde draadje doorknipt, gaat hij af.

Alleen Vera kan het juiste draadje doorknippen.

Het grappige broertje zou precies het verkeerde kiezen.

Zo zit de wereld nu eenmaal in elkaar.

'Minder dan een uur,' zegt Vera.

'Dat verandert alles.'

Gelukkig klinkt ze nu eerder vastberaden dan bang.

Ze pakt haar mobieltje.

'Ik bel naar huis.

Misschien is een uur net genoeg.

Als ze keihard blijven rijden.'

'Net genoeg waarvoor?' vraagt Ron.

'Om ver genoeg van een kernbom te vluchten.'

'Ja, ja,' knikt Ron, 'we moeten iedereen waarschuwen!

Oma, al mijn vrienden, de buurvrouw!'

'Nee,' zegt Vera, 'absoluut niet.

Alleen onze ouders.

Als we alarm slaan, slaat iedereen op de vlucht.

Alle auto's raken vast in de file en dan overleeft niemand het.

Bovendien, zodra de terroristen de waarschuwing horen, laten ze de bom afgaan.'

'Maar mijn vrienden dan?'

'Het is papa en mama of niemand.'

Ze slaakt een diepe zucht en toetst het nummer in.

Bij de eerste toon neemt Rons moeder op.

Ze heeft vast naast de telefoon staan wachten.

'Waar hangen jullie ergens uit?

Ik belde wel zes keer, maar niemand nam op.'

Hoogstens drie keer, denkt Ron.

Mama overdrijft net zo erg als Vera.

'Ik kan je niks vertellen,' zegt Vera.

'Vertrouw ons.

Loog ik ooit tegen jullie?'

Haar moeder grinnikt.

'Over wat er met je nieuwe schoenen gebeurde.

Of dat alle kinderen in je klas een mobieltje
hadden.'
'Over iets wat er echt toe deed!'
'Nee, dat nooit.'
'Vlucht de stad uit!' roept Vera.
'Nu meteen.
Rijd zo ver mogelijk van hier en stop nergens
voor.
Rijd dwars door elk rood stoplicht.'
Vera verbreekt de verbinding.
Ze barst in huilen uit.
'Denk je dat ze het doen?' vraagt Ron.
'Laten we het hopen.'
Ze glimlacht tussen haar tranen door.
'Het is zonde als ik voor niks huilde.'

10. De koerende bom

Met de glaspen krast Vera een cirkel in de ruit.
Ze duwt en het rondje schiet los.
Op de tegels valt het luid rinkelend in scherven.
'Doet er niet toe,' zegt Vera.
'Er is toch niemand meer thuis.'
Toch blijven ze een moment doodstil staan
luisteren.
'Ik hoor iets,' zegt Ron.
'Een raar, benauwd geluidje, alsof iemand zit te
jammeren.'
En dan herkent hij het.
'Het is gekoer,' zegt hij.
'Binnen zit een hele til vol duiven te koeren.'

'Getver,' zegt Vera als ze de keuken inlopen.
'Wat is er?'
'Hier ligt een dode kat.
Er loopt allemaal bloed uit zijn bek.'
Ron gaat bijna over zijn nek.
Hij vindt dode dieren zeldzaam smerig.
'Ik hoef het niet te zien.'
'Er liggen allemaal veren naast hem.
En wacht, een dode duif.
Misschien is de kat in de veren gestikt?'
Vera is niet vies van dode dieren.
Ron herinnert zich hoe ze een merel begroef.
De vogel stonk al en zat vol bleke wormen.
'Het geluid komt van boven,' zegt hij vlug.

Hij wil geen moment langer in de keuken
blijven.
Vera knikt en mikt de dode duif in een hoek.

Het gekoer wordt bij elke tree luider.
Het klinkt op de een of andere manier zielig.
Ze vinden de kooi met duiven achter de derde
deur.
De kooi hangt hoog in de lucht, buiten hun
bereik.
Het raam naast de kooi staat wijd open.
Er zit inderdaad een tijdslot op.
Een lichtje knippert, eerst rood dan blauw.
'Een kooi met duiven is de bom?' zegt Vera.
'Wat is dit voor gierende onzin?'
De woorden van de man worden Ron ineens
duidelijk.
'Het is net als met muggen,' had de man gezegd.
'Die worden er zelf ook nooit ziek van.'
Hij had het over deze vogels.
'De duiven hebben de vogelgriep!
Zodra ze uitvliegen, besmetten ze iedereen!'
Hij herinnert zich de vorige vogelgriep.
Alle kippen van de buurman werden geruimd.
Geruimd was een mooi woord voor afgemaakt.
De dode vogels werden verbrand.
Alleen dan was het veilig.
'Een virus,' knikt Vera, 'een dodelijk virus.
De vorige keer liep het met een sisser af.
Een paar honderd doden in de hele wereld.
Deze keer zullen ze zorgen dat het voor iedereen

dodelijk is.'

'Niet alleen voor mensen,' zegt Ron.

'Die kat had een duif uit de kooi geklauwd.

Een hap en een paar minuten later was hij dood.

De duiven vliegen uit zodra het slot openspringt!'

Vera balt haar vuisten, knijpt haar kaken op elkaar.

'Ga tegen de muur staan.

Ik klim op je schouders.

Dan kan ik net bij het deurtje.'

'Wat wil je doen?'

Vera trekt haar riem uit haar broek.

'Ik bind het deurtje dicht.

Als het slot open springt, kunnen de duiven niet naar buiten.'

'Maar ze zijn giftig!' protesteert Ron.

'Je gaat dood als je ook maar een veer aanraakt.'

'Als ze uitvliegen, gaan we allemaal dood.

Het duurt alleen wat langer.'

Een herinnering floept omhoog:

Vera staat in de keuken en raapt de dode duif op.

Ze houdt de duif in haar hand.

Vera is al besmet ...

Vera legt een dubbele knoop en rammelt aan het deurtje.

'Dat zit stevig vast,' zegt Vera.

'Daar komt geen duif meer langs.'

Ze springt van zijn schouders omlaag.

Vera tuurt naar het scherm van het zendertje.

'Er is nog maar een kwartier over.'

Ze vouwt haar armen over elkaar.

'We blijven rustig wachten.

Ik wil het zeker weten.

Of nee, wachten slaat nergens op.'

Ze drukt op de rode knop.

Meteen klinkt er een luide klik uit de kooi.

'Het werkte!' joelt ze. 'We ...'

Ze staart naar de kooi en haar mond valt open.

'Dit is mis, helemaal mis.

Er staat een rode negen op de kooi.

Dat betekent dat er nog acht andere kooien
moeten zijn.'

'Acht kooien,' zegt Ron, 'en je zette ze allemaal
open ...'

Ze klapt haar mobieltje open.

'112! We moeten iedereen waarschuwen!'

Voor ze het nummer kan bellen, rinkelt haar
mobieltje.

'Wie ben je!' roept ze.

'Ga van de lijn af.

Ik moet 112 bellen!'

'Ik heet Gert Landberg.

Ik hoorde je bericht nu pas.

Ik gebruik mijn vaste telefoon bijna nooit.'

'Ze vliegen uit!' gilt Vera.

'Duiven met de vogelgriep en iedereen gaat
dood!'

'Rustig, blijf rustig.

Wat is het adres?'

'De Egelstaat, nee, niet de Egelstraat ...'

Vera ziet ineens lijkbleek.

Het zweet stroomt over haar wangen en haar

ogen zijn veel te groot.

'Mijn hoofd doet het niet meer!' jammert ze.

Ze is ziek, denkt Ron, doodziek.

Vera zakt door haar benen en zit ineens op de grond.

'Laat mij maar,' zegt hij.

Hij plukt het mobieltje uit Vera's slappe vingers.

Landbergs stem is een iel gepiep, als van een bange muis.

'Geef antwoord, vertel me waar!'

'Eifelstraat 56, meneer,' zegt Ron.

'Kom met een ziekenwagen.

Mijn zus raakte een duif aan met vogelgriep!'

Nu merkt Ron pas hoe draaierig hij zelf is. Hij proeft een bittere smaak en zijn oren gloeien.

'Wij zijn doodziek en ...'

Zijn tong zwelt op en vult zijn hele mond.

Het is onmogelijk om verder te spreken.

Ik moet ze waarschuwen! denkt hij.

Ik moet ze vertellen dat er nog meer kooien zijn.

Vera ligt op de grond en haar ogen zijn dicht.

Haar borst gaat nog op en neer.

Ze leeft nog.

Hij vindt de glaspen in haar binnenzak.

Nu moet ik overeind blijven, denkt hij.

Voor zijn ogen dansen rode en groene vlekken.

Ron wankelt naar het raam toe.

ER ZIJN 9 KOOIEN krast hij in de ruit.

De glaspen tuimelt uit zijn hand en alles wordt zwart.

11. Dode duiven

Ron droomt dat hij door de verlaten stad rent.
De stoep ligt bezaaid met duiven.
Honderden, duizenden dode duiven.
'Help me dan toch!' gilt hij.
'Waar is iedereen?'
Het blijft griezelig stil.
Nergens het geluid van een auto of een radio.
Niemand hoort me, omdat ze allemaal dood zijn.
Zijn ogen springen open.
Ron ligt onder koele witte lakens, tussen
zoemende machines.
Er loopt een slangetje naar zijn arm.
Naast hem zit een man in een geel pak.
Hij draagt een doorzichtige helm.
Ik ben in het ziekenhuis, denkt Ron.
In een afgesloten zaal.
Ze zijn bang dat ik anderen besmet.
'Hoe gaat het met mijn zus?' vraagt hij meteen.
'Ze heeft het gehaald, net als jij.
Het was op het kantje.
We wisten niet welke ziekte je had.'
'En de andere acht kooien?'
'Het waren er geen acht maar zestien,' zegt
Landberg.
'We hebben ze allemaal gevonden.
Zonder jouw waarschuwing hadden we gedacht
dat dit de enige kooi was.
Alle duiven zaten nog in hun kooi te rillen.

Ze waren te ziek om uit te vliegen.'

'En de mensen die het deden, de terroristen?
Kregen jullie die te pakken?'

'Een stuk of vijf,' zegt Landberg, 'de rest
ontsnapte.'

'Maar jullie ontdekten wel wie het waren?'

'Ik mag je niets vertellen.
Hoe minder je weet, hoe veiliger je bent.
Ze zijn nogal wraakzuchtig, weet je.'

Ik heb Nederland gered, denkt Ron, of in ieder
geval mijn stad.

Waarom voel ik me dan geen held?

'Waar ben ik nu weer?' klinkt het naast hem.

Nu merkt Ron het bed naast zich pas op.

Vera betast haar gezicht, wrijft over haar armen.

'Wow, ik leef nog!
Toen ik flauwviel, dacht ik dat het voorbij was.
Dat ik nooit meer wakker zou worden.'

Ze kijkt hem aan en Ron ziet de bewondering in
haar ogen.

'Jij redde ons, je redde de hele stad.
Je bent een held!'

Ron ontspant zich en wordt warm van trots.

Als Vera zegt dat hij een held is, moet het wel
waar zijn.

Lees deze Zoeklicht-boeken ook:

Een tien voor talent

Eva is een talent op de viool, maar sinds
de dood van haar zus speelt ze nooit meer.
Dan zijn de voorrondes van Een tien voor talent.
Eva's vriendinnen, Fab en Isa, willen dat ze
meedoet, maar Eva wil niet.
Daarom bedenken ze een plan.
Ze misleiden Eva én de jury.
Trappen ze erin?

Oma Jojo en de monsterclub
De oma van Rein is pas verhuisd.
Als Rein op bezoek gaat, schrikt hij zich lam.
Er staat een enge vent in haar keuken en
oma is weg!
Op tafel ligt een brief van de monsterclub
waarin Rein leest: We willen J.J. Smit ...
J.J. Smit, dat is oma Jojo!
Wat hebben de monsters met haar gedaan?

Raven in de lucht

Mat woont bij meester Jacob.
Het zijn woelige tijden,
maar de oorlog lijkt nog ver weg.
Dan worden ze overvallen door Franse ridders.
Mat vlucht.
Gelukkig ontmoet hij broeder Otto.
Met hem reist hij naar Brugge.
Maar daar is de oorlog nog dichterbij …

Chatbox leugens

'Een jongen hoort een meisje te vragen,' zegt Ina.

Jef is het feest straal vergeten.

En nu is het te laat.

Ina gaat al met Erik.

Jef is boos.

Thuis kruipt hij achter zijn computer.

Op de chatbox ontmoet hij Ilse.

Ze stuurt hem haar foto.

Ilse is veel mooier dan Ina.

Bijna te mooi om waar te zijn.